MARLÈNE JOBERT RACONTE

Glénat jeunesse

Éditions Glénat
Couvent Sainte-Cécile
37, rue Servan
38000 GRENOBLE

Avec la participation de Marlène Jobert
Illustrations de couverture : Giuseppe Ferrario et Flavio Fausone
Illustrations intérieures : Atelier Philippe Harchy
Photo de couverture : Marianne Rosenstiehl
Prépresse et fabrication : Glénat Production

Achevé d'imprimer en Pologne en août 2016 par Dimograf.

Dépôt légal : août 2016
ISBN : 978-2-344-01687-9 / 001

Loi n°49-956 du 16 juillet 1949 sur les publications destinées à la jeunesse.

Cette histoire se passait autrefois dans un pays du Nord et par un hiver glacial. C'était le dernier soir de l'année. Il neigeait à gros flocons, et la nuit commençait à tomber. Dans toute la ville, les vitrines des magasins étaient somptueusement décorées et illuminées.

Sur les trottoirs enneigés, tout le monde allait et venait, les bras chargés de cadeaux, impatient de fêter le nouvel an en famille, mais personne ne s'apercevait qu'une petite fille, seule, marchait dans la rue.

Elle était misérablement vêtue : une pauvre robe la couvrait à peine, l'étoffe était bien mince et trouée par endroits ; elle ne portait ni gants ni bonnet et dans la neige, elle marchait pieds nus, mais personne ne semblait s'en étonner.

Les chaussures que sa mère lui avait données le matin, lorsque la fillette avait quitté la maison, étaient beaucoup trop grandes pour ses petits pieds, et elle les avait perdues en courant pour traverser les rues.

Ses parents et ses jeunes frères et sœurs vivaient dans la misère, et, même un soir de fête, la petite fille devait vendre des allumettes pour gagner le peu d'argent qui leur permettrait d'acheter du pain.

La petite fille était à bout de forces tant elle avait marché depuis le matin, elle ne sentait plus ses jambes ni ses pieds, devenus bleus de froid. Cependant, elle ne pleurait pas, ne se plaignait pas, elle tendait ici et là un paquet d'allumettes aux passants, mais, de toute la journée, personne ne lui en avait acheté.

Tous étaient trop pressés de rentrer chez eux pour fêter bien au chaud la nouvelle année... Et ainsi elle allait, la pauvre petite marchande, en proposant timidement ses allumettes.

Avec ses longs cheveux blonds sur lesquels se posaient les flocons de neige, elle avait le visage d'une princesse. Pourtant personne ne se retournait sur son passage, personne ne semblait la voir, c'était comme si elle n'existait pas.

Les fenêtres de toutes les maisons s'éclairaient de douces lumières, on entendait des rires, des cris joyeux d'enfants, des bruits de vaisselle, on pouvait apercevoir des guirlandes étincelantes sur les sapins, des tables richement garnies, et de délicieuses odeurs de dinde rôtie venaient même flotter jusque dans la rue.

La petite marchande d'allumettes n'en pouvait plus de faim et de froid.

Elle alla se réfugier dans un coin entre deux maisons et s'assit en repliant ses jambes sous elle, comme pour les réchauffer.

Le froid la paralysait, elle ne voulait pas rentrer chez elle sans avoir vendu une seule allumette : elle préférait affronter le vent glacé de la nuit plutôt que la déception de sa famille, qui, ce soir-là, comptait plus que jamais sur elle.

La fillette serrait ses allumettes dans ses doigts déjà presque gelés et ne faisait plus un geste. Elle regardait la boîte et pensait en soupirant :
- Ah, si j'en brûlais une, rien qu'une... Je sais que je ne devrais pas, mais la chaleur de la flamme me ferait tant de bien...
Ses petites mains étaient si engourdies par le froid qu'elle sentait que bientôt elle ne pourrait plus bouger du tout, alors elle sortit une allumette de la boîte, la frotta et pfft... la flamme jaillit.

Oh ! Comme elle était belle, cette flamme claire et chaude, comme elle brillait de sa lumière amicale et rassurante. La petite fille l'entoura de sa main pour mieux la protéger et la contempler.

C'était étrange ! Cette lumière se mit à grandir et devint de plus en plus rayonnante ; et la fillette eut peu à peu l'impression d'être assise devant un grand poêle de fonte noire avec des tuyaux en cuivre bien astiqués.

Une douce chaleur l'envahissait, la réconfortait et, en fermant les yeux de bien-être, elle tendit ses petits pieds pour les réchauffer. C'était bon... si bon !

Mais la flamme s'éteignit et le poêle disparut, emportant ainsi sa douce chaleur avec lui. Et la petite marchande se retrouva dans la neige et le froid, un bout d'allumette consumée entre les doigts. Avant que ses petites mains ne deviennent toutes raides, elle prit une deuxième allumette dans la boîte et la frotta.
Une belle lueur jaillit à nouveau, et alors le mur en face, qui en fut éclairé, sembla transparent comme du verre.

Si bien que la petite fille put contempler au travers une salle à manger où la table splendide était dressée pour le repas du réveillon. La nappe d'un blanc éclatant était couverte d'une vaisselle de porcelaine fine.

Dans un grand plat d'argent fumait une dinde rôtie à la peau toute dorée, entourée de pruneaux et de pommes chaudes. Hmm... Quelle exquise odeur de farce dans l'air ! La petite fille, déjà émerveillée devant cette apparition, n'en crut pas ses yeux lorsque le plat tout fumant quitta la table pour venir se poser devant elle !

Affamée, elle se pencha pour y goûter, mais, à ce moment, la flamme s'éteignit et tout disparut.
Comme la première fois, l'enfant se retrouva assise dans le froid devant le mur gris, une allumette consumée entre les doigts.

Cette fois, curieuse de ce qui allait apparaître, elle n'hésita pas à craquer une troisième allumette.

Dès que la flamme jaillit, elle se retrouva assise au pied d'un magnifique arbre de Noël.

Elle n'en avait encore jamais vu d'aussi merveilleux, même ceux qui étaient dans les vitrines des magasins les plus luxueux n'étaient pas si richement décorés. Des milliers de bougies dansaient sur les branches, de jolies images de toutes les couleurs s'y balançaient doucement et semblaient lui faire signe.

L'enfant ravie tendit ses mains pour en saisir une, lorsqu'une fois de plus la flamme s'éteignit, et toutes les lumières du sapin s'élevèrent très haut dans le noir ; mais si haut qu'elles devinrent des étoiles scintillantes dans le ciel pur de l'hiver.

L'une d'elles en tombant traça une longue raie lumineuse ; la petite fille pensa alors à sa grand-mère, qui n'était plus de ce monde depuis peu.

Elle lui disait toujours en regardant les étoiles filantes :
- Quand une étoile tombe, c'est qu'une âme monte au ciel...

La petite fille frotta encore une allumette : et cette fois-ci, au milieu d'une lueur extraordinaire, elle vit le doux visage de sa chère grand-mère qui lui souriait tendrement.

La petite fille s'écria en la voyant :
- Oh, grand-mère, emmène-moi ! Je veux rester pour toujours avec toi ; je sais que tu ne seras plus là quand l'allumette s'éteindra, comme ont disparu le poêle, la dinde rôtie et l'arbre de Noël. Grand-mère, je t'en supplie, emmène-moi avec toi !

Et la fillette saisit les allumettes qui restaient encore dans la boîte et les brûla toutes ensemble, toutes. Elles brillèrent d'un tel éclat qu'autour de la petite marchande il faisait clair comme en plein jour. La grand-mère était toujours là ; son regard lumineux débordait d'amour fou pour l'enfant. Elle lui tendit les bras pour que la petite vienne s'y blottir.

Et alors, toutes deux, rayonnantes de joie, s'envolèrent vers un pays lointain où personne ne souffre plus ni de froid ni de faim, ni de rien, et où le bonheur est sans fin...

Au matin, les passants trouvèrent la petite fille assise au milieu de toutes ses allumettes brûlées. Elle semblait étrangement heureuse, mais hélas elle était sans vie, emportée par le froid. Son sourire figé sur ses lèvres glacées, qui surprit tout le monde, disait son bonheur d'être partie avec sa grand-mère au pays de l'éternité, mais comment deviner ?

Personne ne sut jamais rien de toutes les merveilles apparues dans la lueur de ses allumettes, personne.